劉福春・李怡 主編

民國文學珍稀文獻集成

第二輯

新詩舊集影印叢編　第82冊

【李金髮卷】

食客與凶年

北新書局 1927 年 5 月初版

李金髮　著

花木蘭文化事業有限公司

國家圖書館出版品預行編目資料

食客與凶年／李金髮　著 — 初版 — 新北市：花木蘭文化事業有限公司，2017〔民 106〕

258 面；19×26 公分

（民國文學珍稀文獻集成・第二輯・新詩舊集影印叢編　第 82 冊）

ISBN 978-986-485-151-5（套書精裝）

831.8　　　　　　　　　　　　　　　　　　　106013764

ISBN-978-986-485-151-5

民國文學珍稀文獻集成・第二輯・新詩舊集影印叢編（51-85 冊）

第 82 冊

食客與凶年

著　　者　李金髮
主　　編　劉福春、李怡
企　　劃　首都師範大學中國詩歌研究中心
　　　　　北京師範大學民國歷史文化與文學研究中心
　　　　　（臺灣）政治大學民國歷史文化與文學研究中心
總 編 輯　杜潔祥
副總編輯　楊嘉樂
編　　輯　許郁翎、王筑　美術編輯　陳逸婷
出　　版　花木蘭文化事業有限公司
社　　長　高小娟
聯絡地址　235 新北市中和區中安街七二號十三樓
　　　　　電話：02-2923-1455／傳真：02-2923-1452
網　　址　http://www.huamulan.tw 信箱 hml810518@gmail.com
印　　刷　普羅文化出版廣告事業
初　　版　2017 年 9 月
定　　價　第二輯 51-85 冊（精裝）新台幣 88,000 元

食客與凶年

李金髮 著

北新書局一九二七年五月初版。原書三十二開。

食客與凶年

李 金 髮 著

新潮社文藝叢書

北新書局印行

目　錄

—1—

—4—

—5—

食 客 與 凶 年

李 金 髮

"過秦樓"

你是夜候之女神，

這我僅能曉得的·

當晚風來時，

括去我墳墳上的塵土，

到你腳下旋轉而停止了·

茸茸的小草逐萎死其細莖，

所以我消瘦了·

你在走步時，

呢喃些什麼？

輕盈的夏，

何以為紅葉催去，

他們是因為歌唱而來麼？

在你的年歲裏，

可以找到為你眼淚

—1—

淹死的顆心，

他多麽冰冷，

（在蕭條天之下）

可安葬在懷抱裏，

如無法使其甦生。

X

我的靈魂是荒野的鐘聲:

明白春之蹤跡,

和金秋痛哭的緣故,

草地上少女的私語;

行星反照在淺波上,

他們商量各自的美麗,

更有靈兒傲慢地走過.

惟年歲遷移了,

海潮的鬧聲

震聾了她的耳;

遠方的霧氣

迷離她的兩眼;

她遂休止了這監察.

呵,我們離這苦痛之鄉,

—3—

去救殘廢的靈魂,

安放她到錢塘之江畔——

多麼舟楫來往——

夜亦得照着平靜下去.

—4—

完　全

赭紅色的屋瓦下，

方牆圍着我，

慎重的動作，

倒映而深黑了．

風在城頭嘶過，

燈兒熄了，

我摸索我四體，

這方,那圓?

前一刻的去,

正爲後一刻的來,

他們的行程,

不因沙漠火山而休止．

我待黑夜來慰撫,

—5—

徧見新日的微笑.

呵.靜寂萬歲!

總好給人一個完全.

—6—

Erika

一個少女

簡直是孩子

愛

一切香花,

睡眠,

但不認識

哀戚之成份.

"你不欲生

我可以死."

多麼顛倒!

這

陳舊之排演.

你如南來,

可望見深黑的矮林,

—7—

蕘小荒島裏,

有古船待着.

你能打槳麼?

你如南來,

可以在

沈厚之空氣裏

再找我,

我們不拘執

且聯袂歌唱片剃,

不論

"Largo"

抑 "Traümerrei".

去麼?

捨得你的

Kindlich!

山花會笑人的,

酒杯更

孤寂了我們.

2.1923.

我 求 靜 寂……

我求靜寂保持我跳蕩的心,

因秋天來得太迫促,

我敲我的門時

或使他倉皇而遠走.

你說:我們的幸福就在這裏,

我以爲:在那裏!

不必去尋求他的居住,

他起居在燕子之翼尖.

呵,灰色的夢!女人說:

"天堂是在人清白的心裏,

你若不將他帶來,

你是永不能進去."

我們在生命上退讓,

—10—

在死裏進攻．

甜蜜之年歲，

盡由上帝手裏拿來．

惜我們旣聾啞一半．

我因你飽了，

你正爲我飢着，

在可盡之浮生裏．

（何處完結，

我死之前，你生之後？

我正欲看見

這矛盾之綉惑．）

總該備金屬的靈魂，

過此同一之神祕，

不強求亦無顧意，

來，無痛哭在疾笑裏．

——11——

你 當 然 曉 得⋯⋯⋯

你當然曉得,

(至少聽過,)

這是婦人,

那是玫瑰,

是上帝神奇的設置,

然尚非全體的祕密。

沈思在水裏,

眺望在天際,

關什麼傷感?

——孩童時斑鳩逃了籠兒,

蟋蟀沒得食料?——

呵,老父,前來,

叫風兒去尋女人的 baiser,

或教我像他隨處哭泣。

花枝皺了眉,

羞赧的哭着.

(呵他何能捨地上皎潔的夜月.)

不幸的季候來了,

我的哀戚益無棲息之所.

因羊兒進了圈,

蟻螞亦停止工作.

不當死去,

如未得心兒休止哀吟,

或未見花枝低亞,

正似一個囚徒,

希望日間的供給來到.

不如死去,

苟你欲破這門兒

有所看見,

我們自然須審重了,

—13—

呀，神兒來呀！

伸手呵！

爲什麼還疑豫，

—14—

你 在 夜 間 ……

你在夜間照耀，

我纔四望着，

你說：這就是生命！

日光來了，仍舊射在地面，

我終失去這獲得。

我生存的神祕，

惟你能管領，

不然則一刻是永遠，

明媚即是骯髒。

吁，你在暗處嬉笑，

遂成了這誘惑，

我多麼呼喚，

但雙廢了的是上帝和你。

憐憫點這遊客，

—15—

何以在遠處松蔭下躑躅？

他拋棄了老母的撫育，

全願意藏身在你的"夜"裏，

為什麼靈兒受了飢而痛哭。

你全無意援手

這飢餓而傷損的囚徒麼？

你探了他晴春之花

因之失去一切可愛。

在假寐之先，

深睡之後，

我們有多少冥想：

白的雪花，

翩翩的年少，

奈自己無力愛護了。

—16—

詩 人 凝 視……030

（一）

詩人凝視

上帝之游戲：

雨兒狂舞，

風兒散着髮，

這是睡眠的時候，

如午晝化作黃昏．

殘廢之乞丐佇立路側，

欲慈悲人造他的幸福，

奈風兒來得更緊，

暫暫僵着不動了．

霧兒遲疑着在遠處，

無力進這盡頭巷．

—17—

燕兒飛翔着,他細

小的心恐怖到風的餘威.

遊散的人,

現出一切平和,

各自在生命上徜徉,

同佇看慘酷之神祕.

（二）

詩人沈思:

Liebkosen mir!

字句如晚鐘般沈重,

但多麼空幻的東西.

一個臂膊的困頓,

和無數色彩的毛髮,

給了我們什麼?

呵,荆剌的花冠!

直到心靈的屈服,

飢,渴,傷損如火的熱望.

—18—

該留點意，Maria，

休折了腰兒呵，

負重的老人說：

"噯喲"無從挽救。

（三）

詩人咬着筆兒欲寫，

墨遂乾了，

按着琴兒欲奏，

絃遂斷了。

在細流過處，

自籠裏逃去的鳩兒

徘徊着，

從枝頭望到水底，

他失了歸來的路呵。

鬆軟了四肢，

惟有心兒能依舊跳蕩。

—19—

欲在靜的海水裏，

眺望藍天的反照，

奈風來又起了微沫．

（四）

詩人愛好，

風熱的兒童向母親說：

"我不知自己怎樣，"

末後靜寂了好久．

中傷的野鶴，

從未計算自己的命運，

折翼死于道途，

還念着：多麼可惜的翱翔．

小羊到山後飛跑，

過了斷岸跳着，

日光直射着地面，

—20—

午盡了一齊到蔭處歇着.

他們的叫聲,

多像濕膩的輕紗.

在夜的開始裏,

黃昏溜步遁去,

微星帶着笑臉而來,

破裂的遠鐘,

催趕我們深睡.

—21—

我 該 羞 愧⋯⋯⋯

我 該 羞 愧,

在 情 愛 裏 從 無 "顚 倒",

我 不 酌 你 以 青 春 之 酒,

娛 你 以 金 秋 之 蟬 鳴.

因 產 生 "命 運" 之 鄉,

全 遭 刼 了.

你 該 伴 Nymphe 遠 去,

遊 玩 那 河 流, 山 谷, 平 坂, 高 邱,

睡 眠 在 深 林 之 苦 裏,

眼 底 載 重 那 金 色 之 夢,

或 留 存 麝 鹿 之 香 在 輕 裾 上.

還 我 已 往 之 安 慰, 屈 服,

與 夙 夜 的 擁 抱,

—22—

那是 divine 裏一樁錯算.

在你心的平沙裏,

他踏下深深的足印,

倩誰去洗刷?

無懊悔而溫暖指頭的摸索,

在灰色而近于青的林裏,

你唇裏含着黑花之蕚,

如來自 Infante 園裏.

你絲帶束着腰兒,

我杖子靠了腿兒,

（我們雖不曾偎傍着.）

呵 "抱歉",

你的笑如乞丏般,

仍蕩遊在香的記憶裏,

惟我們的青春已從

時間之懷裏遠遁.

—23—

且停片刻,

秋風似欲談話在私語裏:

遠處神祕的鬧聲,

將殘酷地回復人的夢,

抑使季候流血在心裏.

呵,往昔多麼嫵媚⋯⋯

呵,往昔多麼嫵媚的你,

(昏醉時如旗旌般搖曳,散兒的散亂

混雜在裙摺裏.)

爲什麼如此消瘦,

因眼眼淚多乾在頰裏麼?

上帝給了你什麼罪與罰,

致兩手頻遮掩着.

呵,從眼瞳裏露出來了.

你所愛的,

我們已捨棄了的:

灰色的水岸,

擁着銀白的河,與其滾滾的浪.

擺渡的穿着蠻野的裝服,

收拾反射在眼瞳裏,

沙鳧掠短蓬橫過,

—25—

帶青還黃的蘆蓬,

孤倚在小嶼裏.

他們想找尋什麼似的.

你說,季候轉移了!

薔薇謝了旋開,

他們從不傷心的.

呵,其濺血在葉底,

芬香在女人的懷裏,

他們正尋這挽救.

—20—

忠　告

在我慵惰的年歲上，"時間"建一大
理石的宮室在河岸，多麼明媚清晰！
夜色來了，你便坐着遠眺而歌唱，呵，
大率不能懂，假如沒有解釋．
我欲刻天使的心爲花球，作你月夜
舞蹈的裝飾，造牧人的笛兒響在遠
處，我心遂戰慄了．
瓦上的風針側着，狂風來時，必把我
們的心之花片吹散．呵，去黎明的時
光尚如此邃遠．
無冥想我們的往昔：多少萎瘦花片
在枝頭，我們無力去扶持；浸綠的江
水流着，載點枯死之荇藻，我們怕他
攔住了，終久給詩人看見．
夜追逐着日，使得他心頭跳，在你諧
和而圓闊的手裏盛滿了夜之種子，

—27—

可散在荒塚散在平原,切勿散在我
們心裏的曠野,他將永不會生長.

牙鷹追逐白雲在天際,酒在瓶裏起
沫,我們的努力與痛哭,都一樣空幻
與忠實.

在清氣的深夜裏,虫聲引人回想,你
粉白的纖手,探索我記憶之叢裏,聽
呀,他們多商量逃遁的去路,新秋的
花殘了,盛夏的池沼乾了,僅能引其
到你園裏去.

柏林

—23—

晨

你一步一步走來,微笑在牙縫裏,多
疑的手按着鈴兒,裙帶兒拂去了絨
菊之朝露,氣息如何,我盃不能分析.
鍍金的早晨,款步來了,看呀,或者聽
環佩琅琅作響了,來!數他神祕的步
驟.

你的臂兒張着向我,呵,他們倦了如
我未醒的深睡.

進來,向我傍邊坐下,解去那透濕的
鞋兒,你摘的是什沒花朵,芳香全染
在你胸膛裏了,不看見麼,他們正因
離去同玩的小山羊哀戚了.

勿裝出一半微笑,一半莊重的臉來,
我畫筆兒將停滯了,如你多看一眼.
夜鴉染了我眼的深黑,所以飛去了;
玫瑰染了你唇裏的硃紅,所以隨風

謝了.我們到小徑隱藏了去,看衰草

在松根下痛哭.

你呼吸在風裏,我眺望在遠處,他們

都欲朝黑夜之面而狂奔了.

黑夜纔從門限裏出去,他多麼叫喊,

憤怒與嗚咽,如你不來,我將夢見你

在我懷裏.

奈黑夜纔從門限裏出去.

—30—

歌 唱 呀……

歌唱呀,你的四絃

旣調合了,

我們的生命,

（殘暴或優美?）

將到可由之路徑上

舞蹈,設備痛飲.

在高貴的傲忽裏,

我們得到嗜色的花冠,

一半供驅使,

一半留給後代.

背面之秘密,

致勝那國王,詩人,囚徒戰士.

相信我,眞的!

你袍兒變了色,

—31—

履兒斷了小帶,

還走麼?吹麼?……

你破碎的足印,

給他們多少疑惑.

我將伸展我的記憶,

使生命之諧和重複點,

或令心兒長久佇立這頻來之夜

奈日光消失時,

我的心已甜睡了.

你,飄泊的牧人,

羊兒全靜寂了,

不聽見松梢的風之私語麼,

是否秋欲帶我們歸去?

伸你青血之手來,

蜂兒已代人憔悴了.

—32—

在淡死的灰裏……

在淡死的灰裏,

可尋出當年的火餤,

惟過去之蕭條,

不能給人溫暖之摸索．

如海浪把我軀體載去,

僅留存我的名字在你心裏,

切勿懊悔這喪失,

我終將攔止于你住的海岸上。

若忘記我的呼喚,

你將無痛哭的種子,

若憂悶堆滿了四壁,

可到我心裏的隙地來．

我欲穩睡在裸體的新月之旁,

－33－

扁怕星兒如晨鶯般呼喚；

我欲細語對你說愛，

奈那 R 的喉音又使我舌兒生強．

少年的情愛

我欲寫盡我少年的情愛,

但他們多麼錯綜:

在盛夏的黃昏,

我臨着風兒呼吸.

一個 Marie-couche-toi-là,

渴望天際的歸船,

但驕兒過了一陣,

天遂昏黑了.

倒病的女孩,

夢見天使吻伊的額;

窮追的野兔,

深藏稻草窩裏.

母親說"髮兒來呀",

—35—

我嬌媚着自己，

失去了襁褓的溫暖，

滿足了生活的辛酸．

成羣的舵工，

（飽嘗了久別的滋味，）

他們多愛異鄉與

海岸的濤聲，Sirène 的微笑．

你潛步行來，月兒半升了，

他多麼羞怯在園裏四望，

我不明白你的說話時，

鐘兒旣呼喚了．

穿了袍兒，

整着履兒，

預備從長亭遠走，

奈柳條又牽住人裾．

—36—

沈寂的夜裏，

水田的蛙聲嘈噪着，

漁人的火炬在遠處蠕動，

我的夢魂逐流淚在石級裏.

工愁之詩人

浪兒飛跑，

像我們躁率之青春，

少年的希望．

一切天光，

在其沫上留下不徙之影

呵，工愁之詩人，

我是這詩人，

你亦是這詩人．

你笨重之脚，

踐踏了生命之頭，

金與銀之簫管，

缺乏了諧和之氣息，

遂無人警這長林之夢．

—38—

往昔已見你

醉心末陣的徵風,

口角兒帶點笑,

（呵,笑這自然之美麗與奇醜,）

今已不能重現?

在勝利之時間上,

思慕遠地的情愛麼?

我們得一已足,

何況尚無!

人們多愛眼淚的生涯,

迨頰兒透濕了遂走,

如飽乳之孩童.

忠實的江水

欲誠懇地監察我們生命的行蹤,

奈鵝兒的游泳,

擾亂他的思路.

—36—

留心點!在火燄之城裏，

夜可以關住你，

飢渴更不消說。

却
但

生

酒肉充滿檯几，
痛飲狂吞，
怕歡樂不常在！

少年一般計劃，
提起多少期望，
起初就好，末次頹沛了．

污濁了名兒，
整刷無味之身軀，
結果一個糊塗眼．

他們中之一個，
多愛古牆石室，
遂走徧天涯．

—41—

享華麗的人
從無 merci,
還羨慕!

襯石之墳與
裁點軟枝柳,
安睡在靜寂之鄉.

決戰以外的憤怒,
直像詩人之筆!
聾,啞,無味而昏醉.

你支配了一切,
還須申辯麼?
期望,懺悔,休止來到我.

—42—

秋

到我枯瘦的園裏來，

樹蔭遮斷了溪流，

長翅的蜻蜓點着水，

如劍的蒼蒲在清泉之前路.

勾留片刻,你將見

斜陽送落葉上道，

他們點頭和 saluent

此等殘酷的別離.

幾使長睡的淺草，

亦下淚了,看呀!

惜愛之神右臂提着籃兒,

欲收拾大地一切菓屬和香花,

更遠的有雁兒成隊,

—43—

牧童領着羊兒犬兒，

（他飲其乳，寢其皮，）

他們的步音在沙上錯雜呢．

人

馬兒在輌下跳舞，

呵，奇離的人，惟你能觀察．

我羨慕到你，追隨，俟候，

今已比肩坐着，願意同走麽？

你捨棄了國土，祭壇，

神秘而機巧的佇立着，

（想旣看見我了，）

伺候神的來，賕物的賞賜？

如斧兒破伐一切

傷痕還可構合，

何須蹲伏，我們的生命，

如殘道的泥濘般可怕．

你何以不如他人之

—45—

吃食,狂笑,痛哭愛慕,

讚美這肥沃的土地,

鑄生鐵之鐶鉗奴隸之口?

聽我說,無年歲的兒子,

永遠的日光之輪

在天末長大,變色,高下,

驅逐四周的深黑.

他的輪環像我們日常生活流轉,

但在這卑汙大地裏,

情愛終是最難勾留的,

如花枝之及時凋謝.

抱頭愛去;(無忘記你的七首,)

無回顧你的後方,

呼喚諸大神的名兒,

然後我們說 Adieu.

——46——

萬頭攢動的叢裹,

一半生人,一半俘虜,

期候春夏囘水,

黎明追趕黑夜與沈靜去.

他們多愛日間聚會,

面面相覻, —— 揀點 sehr gern!

雖說"忠恕"但是別的意思,

呵,不可賣之頭.

在廣沓的林木裹,

山花散布到平坂,

黃昏愛護那無味的流泉,

與沈寂的松梢之遠眺.

他們悉沈睡了在蔭處:

Bacchus, Satyres, Pan, Muses,

夢着,無意勾留在這軀骸裹,

—47—

荒島的生物之飛鳴總較好.

留意牧童的 refrains,

遠寺的回音,陰靈之舞蹈,

狂叫, Déesses, 金馬之蹄聲,

與失望的風之迴旋.

海波長嘯着,如舟人之歌,

帶點沙石與暗礁衝突之聲息,

時而狂跳,如倒醉之兵卒;

有時喪氣了,如孤子之寡婦.

短枝後衰老的鷹兒,

張張翼羽,望望長天.

可在此高唱得意之句,

如靈兒變成衰病.

— 48 —

春 思

輕微的風吹過生命之門限，

帶點染衣的春色，

無限溫和，還挾些慰藉的情緒，

我歡樂的季候舒展而開始了．

欲笑還愁的日光，

蓋覆了女孩之長髮，

幾哭金色之淚了．

你雖遠去，我有彩色之黃昏作伴侶，

樹梢的徽顫之音，

告訴我你一切思慕，

雀兒飛過我逐明白你奄睡的甜蜜．

我臂兒瘦了，

全因飾帶抽得太緊麼？

月兒乘了霧氣之車來了，

是夜的開始麼？

—49—

想你仍是笑着，
你不願憔悴之頰
與不說“寬宥”之口，
插翼飛向我的心潮裏洗浴了．

那邊的記憶從這邊思念着，
正同你說話的顛倒．
留心麼，聽，遊行的風
正磨礪松梢的針尖，
怕要刺到汝心裏流血．

過去的殘冬失了前往的路，
低着眉兒席地坐了，
他本想重來阿媚蕭瑟的夜，
奈怕他冰冷我們的心．

—5〇—

心　願

我願你的掌心

變了船兒，

使我遍遊名勝與遠海

迨你臂膀稍曲，

我又在你的心房裏.

我願在你眼裏

找尋詩人情愛的捨棄，

長林中狂風的微笑，

夕陽與晚霞掩映的色彩.

輕清之夜氣，

帶到秋虫的鳴聲，

但你給我的只有眼淚.

我願你的毛髮化作玉蘭之朵，

我長傍花片安睡，

—61—

遊蜂來時平和地唱我的夢；

在青銅的酒杯裏，

長印我們之唇影，

但青春的歡愛，

勿如昏醉一樣銷散．

—52—

雪　下

（一）

我以氣息溫暖自己，
但雪花徧弄其老舊之舞跳．

呵，女人的心，
悉生長在這等世界裏麼？

鑪兒無勇與寒風對語，
任他向殘葉宣誓應死的罪過．

這等精緻的工作，
何以從不聞機杼的鬧聲？

呵，他們來自我的心裏，
所以我用氣息溫暖自己．

（二）

他粉白了一切江山平原，

—5;—

和無數失望與得意者之頭.

人們還恨"多少不快活",
并不嘆此景不常在.

你,有意盜竊世界的人,
踽踽向白地帶黑處行來.

瘋廢的靈魂,浮泛曖昧着,
欲找尋 fortune 在人羣裏.

我摒着呼吸追隨了好久,
於今雪花竟阻了我的前路.

(三)

他們似乎更輕佻了,
直飄到行人的鼻端胸膛.

呵,你寧凍了我的筆,

—54—

切勿凝結彼人的眼淚在頰上．

凝結彼人的眼淚在頰上，

不是初次遇見的事情．

在她輕軟的脣上，

都有我偎傍的痕跡．

但誰關心這點？

假如靈魂是瘋癲，浮泛，曖昧．

二月，一九二三．

—55—

日 之 始

我如明白點

情愛的成份，

或者不許如此犧牲，

奈我們兩心，

覚成了一個!

我僅一手拉了你，

你逐顧沫着兩足，

生活在 " 我的 " 裏，

我們還選歧路麼？

泉兒是嗚咽在你脚下，

花枝是開放在戀愛裏.

我們已往之哀怨，

交給誰去管領，

只能帶之遠走.

—56—

你抽慣了蠶絲的手，

切無抽盡我生命之絲，

在急雨的叢林裏，

在殘冬的曲徑裏。

白色的天使，

眷戀了這

咿呀的修條，

循序而流的淺水，

我們眷戀什沒？

在你半開之裙裾裏，

倒映了

每個春深的綠陰，

好事之風的微響．

他們給了你什沒，

你多年幽閉的煩悶，

正夢想和他們遠去。

—57—

我們的生命是諧和，

因我們名兒的發音是一樣，

他們來自蕨草成叢的山裏，

──帶了多少生强之霧氣──

你應說一聲"進去!"

園裏的紫藤，尚能纏繞在牆裏．

老舊的葡萄之根

多麼蒼古，

切勿示他們以

薔薇凋謝之季候，

及晨星未上之黎明．

柏林

你的 Jeunesse……

你的 Jeunesse 終久鮮明，

如同你染色的皮肉，

徐步在炎夏之陽光裏，

用倒影之遷動來娛樂自己．

你說他是在宇宙裏僥倖麼？

在灰色的天空裏，

他歌唱了多少裂喉之音，

以安頓這蘆舍，花香落日．

他有時稍微嘻笑，

但轉過了多麼人的足跟，

當其晚上倦了，還散布點

顫音去諧和詩人之樂．

他似沈思了若干世紀，

—59—

但僅在片刻裏與你親熱,

欲問此殘酷之神祕麼?

除了美神便無人能囘答

Ode

且闔你的眼兒，

任清晨去沈睡，

花枝受重露而疲乏

長松的臂兒，

正因擁抱遠露而龍鍾．

無奏樂擾亂沈思的羊羣，

新春之車正從遠方來到，

飾以微笑的玫瑰之朵．

驅車的女神已看見我們了，

他們歌唱在黃色之河的流域裏，

呵，蘆花給了多少敬禮，

有時停頓在清新之林下，

蒼翠欲滴之叢，

於今認識他們了。

—61—

無以你殘暴之視線

驅逐了這陰影,

（呵,我們深愛之陰影,

在那裏解釋了多少神迹,

和時代疲乏之因.）

淺草的柔弱正需要他們,

無自喫,你的脣兒

—— 卽風兒過冷,襟兒過薄.

杜鵑正向人諂笑,

殘冬的餘威,

正一刻加一刻地衰死,

更有臨沼之蚯蚓,

弔此可怖之變遷,

于我們深眠之候!

無擺動你的裾兒,

麥浪正臨散漫之春光而旋舞,

呵這等歡笑過於公主的女孩

我們且去

—82—

細問已往之春與秋夏
的起居。

"永不囘來"

與我遠去,孩子,

在老舊之中古的城裏,

—— 他們睡眠於世紀之夜,——

流泉唱着單調之歌,

如東方詩人之嘆息.

他們岩石似的心房,

既生滿苔痕.

更遠的

有孤立的頹牆,

廢園與他作伴,

襯於深青與黑的沈澱.

他們聯結了殘冬,

遠離了盛夏,

淺沙裏你可

找到木架之碎片,

—64—

（呵,不可餽之禮物,）

蝸牛在陰處笑人.

在那裏烏兒是疲倦的,

蜂兒戀着睡眠,

臨別之黃葉,

翩翩地飛舞,然後

點頭向老松,

點頭向流水.

你僅能嗅到

季候掉却之餘香,──腐朽之味,──

輕淡之樹影,

有時使你麻木,

若有天際送來的殘光,

你更可認識他們的面目,

但其心是流血,懊悔與冷酷的.

—65—

你如欲我們在那裏嬉笑,

且攜帶我的四弦琴

奏一個 “永不回來”。

—66—

Sois heureux !

Sois heureux !

縱殘陽濺血在毛兒,

海風吹醒你的甜夢,

冷雪凍了窗門的蒸氣,

"月夜啼鴉",

因我們的生命是飄蕩.

Sois heureux !

縱青山帶了紫黛之冠,

稻花之香

薰醉遊人之手足,

晨雨的風對微星作笑,

因我們的生命是孤冷.

Sois heureux !

縱所歡成了叛亂,

—67—

青春變了荒唐，

旣往之嫵媚，

直攪擾到睡眼裏，

因我們的生命是突兀.

柏林之傍晚

夜兒不號召地齊集了，

火光的閃耀，

阻不住他的呼喊，

殘陽更因這恐怖的攻擊

負創地曳兵走了，

屋尖漸圍深黑，

製造出多少不可思議的誘惑．

呵，無昧而終古呆立的石道裏，

步音多麼錯亂，

如同整隊的羊兒，

在平原上撻足，

用食料之期望去安慰心靈．

我能以忠告去給這不相識的人麼？

（何嘗不相識，）

—69—

但他們的面貌，

既罩着深黑之幙．

吁，這等可怕之鬧聲

與我內心之沈寂，

如海波漾了旋停，

但終因浮沫舖蓋了反照，

我無能去認識外體

之優美與奇醜．

在這平淡的時光裏，

我該聯想到生命崩敗之跡，

與所歡之隔絕．

是春的來麼？

夏的去麼？

我們何暇追究，

但這枝條的暗影，

遮肉皮了之色，

—70—

豈不是夜的權威？

夜兒不號召地齊集了，

還混雜些新秋之份子，

無力再住的葉兒。

已到溝裏蹲伏，

正打量命運的始終，

但有誰看見和想到．

Tristesse 引了惡魔伺候在四圍，

欲促時間去就死，

惟屋後的流泉去憑吊，

短牆是不關心這點的．

Voita 灰暗而生銹的鐵鎖，

安排了正預備銷滅我們：

笨厚的蒼苔上，

狐兔來往之遺跡，

欲睡還醒之柱石，

—71—

供傷心人倚靠而痛哭，

蜥蜴，流螢追尋這老大之秘密；

（我們之秘密，）

枝頭的山雀，

泡撼寒顫之晚冬．

到我的膝邊來，

假如欲在我心裏遊戲，

忠寶之板櫈，

既許長愛護我們，

我的琴聲—或低吟之音—

將伴你遠去，

直到尋獲損失之塢所裏．

無須靜聽，

這是天風的怒號；

自你有生以來，

他既如此習慣的，

　　——母親最曉得這點，——

　　還須恐怖麼？

　　但我們不雜拘執的擁抱，

　　將因之得到可怕之命運麼？

　　呵夜是黑的，

　　你的微笑是美麗．

　　　　　　　　　Savignyplatz

給 母 親

兒子長大了，

雖不能搏虎，

但還能頹睡在懷裏麼？

你消瘦的手足，

也引起我走得遠了，

我們雖形老少，

但眉兒是一樣皺着．

呢喃些什沒，

你催眠之歌

（牧遊之人的新婚曲）

柔于祈禱之音．

在姑恤裏，

有何罪過！

告訴我三代時候的喪儀，

—74—

髮賊叛亂的慘殺,一

呵,火磚飛過兩三里!一

及給人蛻化的仙女,

或示我陳腐的古幀:

有木刻的黑馬,

恐怖着牧人的鞭兒;

更有牛兒和家兔,

在山後呆立.

你還記得否,

父親泛海

如渡小川,

常說志在四方的男兒,

他給你多少幽怨,

"八月蝴蝶,

五月湖水."

璉姊低唱使我入睡,

用脚尖作拍,

—75—

這等絕調，

給我多少眼淚和尖音的叫。

你從山頭回來時，

（我的頑與亦濃厚了，）

直爬到你的肩上，

滿面擁蓋着熱汗，

給我山菓和……

呵多麼複雜的小名.

我長大了，

愛古代英雄之戰績，

過於游行的獸商之販賣，

於是豪邁了，

奔走高山平地，

在每個巖石裏休息，

遇了荆棘，

便闢爲平道；

破崖巔之鷹巢，

用吐氣低前路的垂楊,
更愛聽東海的潮鳴,
白雲梳洗着長髮.
呵,火神之裝扮着.

當年的豪氣,
而今也銷失了,
慘酷之戰爭
既輪到了我,
奈我折了一切
可攻擊之利器!

"酒色財氣"
有什麼可怕,
我所病的
遠出了這些.

你臂兒多麼冰冷,

—77—

但再緊抱我片刻，

燈兒四處燃着，

恐你還沒看見，

這等是前征的軍旅，

他們多麼有勇氣，

兒子多麼怯懦．

呵，母親你倒睡麼？

醒來，燈兒全熄了，

給我一個天眞的安慰，

假如我們愛戀這故鄉．

柏林

故　人

"又豈料而今餘此身"
　　　陸游

失路之微笑，

在你生動之脣裏眺望，

呵時間之撒手，

抹殺了我們的恃愛．

我的期望衰病了，

年歲全不認識他，

無人明白其視聽與呼喚麼？

我沈密之夢在浮生裏蜷伏深睡．

我欲再見你的美麗，

奈黃昏一瞥的微光過去了；

惟有夜靠着肩兒，

細問你的 Grâce 是柔和抑是高貴．

—73—

你易變顏色之裾，

留存着花球之露，

奈他們悉為牧童喚去，

轉飾安琪兒的翼尖.

黃昏拂到我的頰兒，

仍似往昔臨別之垂柳，

手兒仍舊能擁抱，

但增長了死之塵埃.

嗟呼！情愛,何故

以"生住異滅"給我們，

蛛網破了重組，

長望見晚霞的微笑.

— 8 —

"閒把綉絲撏,認得
金鍼又倒拈"
孫道絢

你的疾笑,

多麼平談,

但在我是一個警告.

我名兒在你口兒,

面貌在你腦裏,

只恐愛不藴蓄在心裏.

我聽你的歌聲,

我遂狐獨了,

看,燈兒正開口笑人。

鐘的微撥,

我錯認是你的心.

— 81 —

呵,且闔眼兒冥想.

我願睡在你懷裏,
但恐我們夢兒混合了,
假如你唱催眠之曲.

夜是終久沈寂,
但是我心多麼中惶亂,
怕你不在我的臂兒.

你向我說一個" 你",
我了解的只是" 我"的意思,
呵,何以有愚笨的言語.

我有往昔的幽怨,
惟你守備式的眼兒見過,
如今變成" 我們"的.

在春日的平原裏,

—82—

你背兒散着長髮，
微風還盡力沁人．

（我願意作教士，
解釋這上帝的工作，
假如不做了詩人．）

零落的墳田裏，
他們痛哭着
欲使死者不長睡．

新生的小草，
隨要窺人，
但還不曾向我們笑．

你低吟着，
我一面猜一面聽，
呵這等癡人的尋求．

—83—

日光斜照了，

我們多怕這黑暗，

但你的目光導我前路。

你向石級坐下，

我們將從何處說起，

如你不先咳嗽一會。

呵，印象如深刻之行廊，

使人怯懦地進去，

如沒有裾的 fraufrau 作响。

呵，再見，我的年少!

待這遠遊歸來，然後

向你談笑如同向着她。

— 84 —

我認識風與雨……

我認識風與雨

切於親密的朋友，

他是世界的“何以”。

我認識春冬秋夏，

他們獨往獨來，

是世界的“然後”。

我願如神話的仙女

在長林過此一生，

但我心頭之情愛與光榮

及老舊之記憶何。

“如我的忠實告訴你一點秘密，

羞怯是不必的，

他是女神，各派之學者，

—85—

取其新製之花冠,美麗反成你的,

勿再求明白,這將成一點罪過.

"羞怯是不必的."

Nèant

給 F. W.

在人所忘却之河流裏，

古柏伸長了細條，

呵，我們十字架失掉之鄉。

日間生活的虛無，

如原野之火燎着。

生强的流放，太單調而孤獨了。

穿過這霧兒，

便是廣杳的天，

但去來的路呵！

大概他們死了，——

這等性慾之斫喪者

終爲信的昭明，夢的勝利而去。

—87—

但是你,明白攻打的人,

攪了人心遠走,

殘忍地看 neaut 之流動.

却
但

慰　藉

呵,"慰藉""岑寂"之朋友,

告訴她:命運是强暴,

生活是輕薄,情愛總是棲枝.

我全爲她瘦弱了,

每個季候來到我總發現心的傷痕,

不當遠去,我們縱無所爲;

告訴她:天兒是低小,

雲兒終古飛跑,

初青的牧場,增點家豚之跡,

殘鐘在夜裏擾人深睡,

夕陽向人微笑,欲語還休.

就在這點我得到一切不快.

我願執筆寫一切溫愛,

傷感如啼春之小鳥,

這不是紙,筆方檻麽?

但恐她迴誦太久，

壹切可笑逐建立起來！

我可以無拘執無懷悔地信托你，

（她不是睡了麼，何以還哭着？）

我是她多年的奴隸……

呵。何消說我們無意旨地愛了。

人說你爲我們而來，

然則任人哀戚麼？

呵，"慰藉"，每當你澗步來時，

我便鎮靜而四望着

在黎明午晝與黑夜裏，

但一個衰敗的詩人

何能得你的忠實。

帶我襤褸之魂去，

作她永遠的遺贈，

酬答是無須的；

心兒麼？告訴她

—90—

太不像樣了——

滿了血痕與霾霧之氣,

但無隱藏之秘密．

二三,二月

—91—

Sonnet

(一)

綠色之河裏黃沙之坂平站着.

呵,我們童年盛宴之鄉,

蓼花白似你的裙裾,

惟有長松明白這秘密.

我席坐金屋之門限上,

供獻一切我之眞摯,

你的眼淚在瞳裏,

但綠色之裳的美麗是你的.

昏醉是我心頭之王,

食盡所有之櫻桃與菓屬,

進去!欲對語的惟你.

你談些什沒?如此呢喃着,

—92—

還是不說好!

你談些什麽,呵,我哀戚之看護者.

(二)

海浪直衝到山脚,

欲把平地銷鎔下去,

我將閉目聽這畢生之攻打,

飽受點惰性之諧和.

我們眼兒死了,但心仍清新,

盪漾在 désir divin 裏;

聯想到更遠之遠處去!

地獄之火正燃燒頸項.

合着掌兒,跪了膝兒,

我們欲祈禱什没?

月兒長跳蕩在波心.

—23—

海神唱了,海神獨唱,
如同你,初期,月下的哀吟:
渴望痛飲生命之泉.

北　方

我願飲遠海之鹹滴，
熄這心頭之火燄，

但在我眼的流域裏，
滿布了游牧者白色之帳幕，

年日到了他們終當遠徙，
接着的是海北的寒風。

在這皎潔之日月裏，
欲使我的生命隨處諧和，

語言隨處流露溫愛，
但這"今日""明日"使我靈
兒倒病了。

呵，我們之生命如臨葬之花環，

－ 95 －

用繩索雜繫了太牢.

看,在遠處的石城裏,
失路之心遊蕩着,

混雜了家僮,牲口,白屋,
垂楊,用自己之動作謊言

裝飾天際的光彩,
更欲乘舟遠去,

盪漾在蒼波之反照裏,
細視風與雨的微笑.

浪 的 跳 盪……

"Est-ce un lourd vaiseau turc

qui vient des eaux de Cos,

Battant l'archipel grec de sa

rame tartare?"

V. Hugo.

浪 的 跳 盪 有 多 麼 嫵 媚,

他 伸 手 在 你 懷 裏!

囘 聲 震 着 我 的 耳,

呵, 這 崩 敗 的 陰 險

如 蜂 羣 散 了 隊 伍,

我 們 的 信 托

在 暗 處 傾 軋 了,

不 相 識 的 夢 魂 裏,

何 以 有 野 鹿 的 叫 喊.

—97—

浪的跳盪有多麼嫵媚

他伸手在你懷裏!

神祕撲殺了一切諧音,

呵黃花細草的平岡,

紅手的荊棘有沈默的笑,

但你血腥的臂,

既緊抱我腰兒.

給我一個呼吸呀!

紅手的荊棘有沈默的笑.

浪的跳盪有多麼嫵媚

他伸手在你懷裏!

看古代之菓園裏,

舵夫靜聽黃昏遠去之音,

Mario背誦聖經之首卷,

女王 cléopâtre 現沈思的光彩,

她多麼忠實看那些英雄！
羊羣斑馬全低着頭，
偷笑這文人之傷感·

浪的跳盪有多麼嫵媚，
他伸手在你懷裏！

我們的命運再開期望之花，
但蝶兒多不欲前來·
清新之芍藥的火裏，
有海石蒼古之印象，
我們能眷戀這點麼？
看,沈寂的稻田裏,
瘦馬顛沛着兩足·

你 愛 日 光⋯⋯⋯

你愛日光，

但夜兒倉卒來了，

且完成我們的夢，

——用他來憑弔

飛跑的春夏，

凝滯的秋冬——

黎明將再到燈前，

舒張其多疑之面幕．

何關緊要，

卽披離在赤日之叢裏，

接受奇異之震蕩．

你愛殘陽的徘徊，

呵，像不來之約的徘徊；

長林全灰紫了，

兔兒奔竄，

—100—

夜氣在陰處長大,

垂條婀娜着

欲安慰善哭之溪流.

我們喪氣地受此臨去之遺囑,

同時建立兩心之運河,

肩兒靠着去禦風兒,

惟不聽心之忐忑的應和,

你愛過去,

呵,昏醉而慈悲的時間

早旣電掣了!

我們無須怯懦,

去追隨那明年今日,

且闔你的襟兒.

沙塵飛揚着!

生命如你眼瞳般清澈麼?

雖不相信這點,

但你面貌的嫻靜

—101—

如雨後的新霞.

你愛圍爐,
但烟從烟突裏飛去.

回 音

天際的浮筏裏

　　我愛是舵夫，

他不願回來，

　　但從天際遠去，

"虛無"指揮着他，

　　將心靈掛在桅頭，

廣大的日輪，

　　首先出海見了他．

Dieu-homme!

　　工作在管轄上，

繼續向情愛下種，

　　但時間終久限止着．

Maudit 的永遠，

贊助這殘殺,

屈指其總數,

在迅速之夜裏.

—104—

花

"Son nom…ça se nomme

misère

Ça s'est trouvé né par

hasard"

Tristan Corbière.

青銅色之萼，

帶了誘惑給我們，

思春女郎之眼的深黑，

示人以神秘與不可信。

總之，理想之寶藏，

取我的心去灰化！

你夜來變態之可怕，

—105—

如女人之暴怒,

脣色之深紅,
全是我們之滋養;

清晨之芬芳,
毒了多少人鼻.

呵,給我們認識你的情人,
或一吻無味而沈鬱之脣.

你羞怯如"十三餘",
錯亂之心欲完成虛無之工作.

開張你的羽翼,
縱情天使的微笑,

但勿哭泣,

—106—

我們乳色之淚流盡了．

你莊重地遠立，
從不曾向我們談笑，

髮兒太散亂了，
無使遮你 chémére 式的眼睛．

海綠色之裙裾，
何以有如許之皺痕？

你如墳田的野花同一顏色，
但能如他明白生死去麼！

呵，你來自 l'ifant 的園裏，
懷着黃葉嘆息之呼吸，

飛蟲無力傷損你新芽，
惟風兒佇立而泣；

—107—

你易碎之臂腕，

攀折多少沿途之垂條．

你像石底之流泉，

晨與失路之星，

人們因愛你眉兒垂死了，

應伸手按其氣息．

—108—

心　遊

Marie,　窗外雨兒帶着雷兒，

夜如你的褌衣般散漫.

在我們世界裏，

惟這個是眞實.

殘雪的冰冷之襟，

欲一親我們心頭之火，

在我們世界裏，

惟這個是眞實.

豐林蕭瑟着鐘與鼓，

欲媚星光遠逐黑夜，

在我們世界裏，

惟這個是眞實.

顧我們跟隨殘道，

—109—

終開生銹之欄柵,

在我們世界裏,

惟這個是眞實.

當你祈禱時,應夢想這高山大河

之建設,永佔奪人幽會之便利,

在我們世界裏,

惟這個是眞實.

我夢想剝王后之臺的人,

榜玻璃窗一家僅啞着一的名士,

在我們世界裏,

惟這個是眞實.

我夢想微笑多情之美人,

僅有草與殘花的墳墓,

在我們世界裏,

惟這個是眞實.

—110—

在你呼吸的聲息之林裏,

有多麼爲我之希望,

在我們世界裏,

惟這個是眞實.

你有稻田新麥之氣味,

和小道荆棘之糾纏性,

在我們世界裏,

惟這個是眞實.

你如徜徉歧路之生命,

忘却梳洗與需求,

在我們世界裏,

惟這個是眞實.

當我們再醒時夜是辭別了,

恨無哀戚之顏臨歧遠眺.

在我們世界裏,

惟這個是眞實.

—111—

哀 吟

(一)

我聽到往昔心頭之哭聲，

如環跪之唱盛禮的歌童，

呵，這等臨別之 Sanglots

倨傲溫柔地剪碎世界之帆．

(二)

年歲迅疾地飛翔．

僅如晚粧之輕紗一瞥，

帶給我蘭桂之殘香，

忘了收拿牧場之草色．

(三)

我用殘冬之葉飾毛髮，

但怕他春來還綠．

我無力擁護季候之逃亡者，

—112—

正因心頭征戰之印象沸騰着.

（四）

深願如舊兩手抱着頭,

夢見命運之征伐,

但昏醉而愚笨着,

任你生活在我厭倦裏.

（五）

半死之眼淚在煩裏徘徊,

關什麼傷感：

"世界的美神,不再見怕,

我從此疏遠了.

（六）

"你通紅之陽光,

運行在我胸部,

澈亮的月色,

—113—

劲我哀吟;

（七）

"無形體之手撫藉我臂膀,

如倒睡在慈母懷裏,

倦怠而輕的黑花之香

蓋滿未來黃沙之墳墓.

（八）

"關什麼意思,

我願知道你的名兒,

然後走去,謙恭地

謝此突兀而生强之生."

—114—

殘 道

我在生强之叢裏，

張皇,戰慄而短氣着,

懊悔,需求和記憶,

永爲不速之客.

我愛新月松濤,

修長而深黑之眼,不關心的脣,

輕盈而疾笑的指頭.

在落日之餘暉裏,

村莊之炊烟浪漫到鼻官;

我愛無拍之唱

或詩句之背誦,

（呵,不一定之意旨,聲調,

東冬隨着先蕭.）

我歷見痛哭之婦人,

－115－

抱頭疾竄之男子，

他們有時同病相憐，

慰嫵，或者傷損了全部，

在浪花跳躍之海裏，

柏林煩囂之窟裏去

勝利，失敗，男子，嫵人.

我願如他們遲些死去，

或到不預知之場屋，

日與月之起落的間隔裏，

高唱無腔之笛如 Pan 在深谷裏，

遂發現宇宙之秘

忘却故鄉之長林淺水.

呵，我在生强之叢裏，

張皇，戰慄而短氣着.

　　　　　　三月，二三.

—116—

不 相 識 之 神

"The joy ran from all
the world to build
my body"

R. Tagore.

在枯瘦之林下

追想往昔的去,

勝于預料明天的來.

夜色層疊着,

他準備什沒,

傷感于我何有?

奔飛的浪呼喊着我同此遊戲,

無家可歸之靈,

囘答一個" 不同意!".

看,火山之旁燃燒了

何時蔓燃到此地?

—117—

引港的人倒病了，

舟兒在礁石隱處盤桓，

初興的燈兒太小，燈塔遠咧

輕新而帶霧的夜，

以暗灰色刺殺我的心，

如受傷俘虜在道途之不幸；

但熱烈之無名的笑

在遠處認識我，

如孀婦親密僅有之甥舅，

呵，我何時抱 Urne 狂飲

遠方的靜寂，

到此亦休止工作了，

（但還低聲地唱）

惟流泉與微熱之風去欵待.

死葉的微顫─女子裙裾之音─

悚慄我年少之記憶:

－ 118 －

"我們哀戚在他們狂喜裏,

呵,不相識之神,

你為情愛瘋癈了

如雪後之爬虫,

總無力出些殘道.

我,全因別離碎了心,

——冀作江上舟,舟載人離別——

怕看斜陽古道,

五月扁荳,和山雀弔人.

我們躑躅着,

聽夜行之鹿道與蕭殺之秋,

星光在水裏作無力的反照,

伸你半冷之手來

撫額使我深睡,

呵,此是 fonction dernierl (見 P. V.)

"我愛你寺院之燭光,

照不幸者之環跪與深夢,

——119——

他們生活在殘暴與公平裏,

惟求你手的摸撫與指示.

"我欲狂呼,但口兒無意地闔着,

我欲痛飲,但樽兒因日光乾枯了.

呵,我惟能向你狂跑,

告訴我一切幽秘如授訓兒童:

何以淚在陰處長流,

Vouloir 在勝利上攻打,

女神到平岡微眺

遂倉卒去了,

鳴泉爲誰歌哭,

及在輕率之過去裏動作與凝覷之

銷散?

"不相識之神,

你該在光與暗處徐來,

小道的荆棘刺傷我四體,

—120—

關什麼罪過?

我光滑之石座將告完成,

顧刻世紀永遠之希望與頹敗,

和你的小照于其上,

然後閉了門兒,任情

愛憎這世界兒."

柏林

—121—

美　神

開展你荒涼的床，

為我心之埋葬地，

或僅能假寐．

看，美神！

晨與的露

委靡遺等衰草，

遠處的濤聲

帶來花片敗亡之消息．

你魔術之指頭，

緊敲遺破鐘，

淺黃的草場裏

鴿兒開了宴會；

山谷的疾流，

亦因 nymphe 之去停止了；

但他幽草之香

直透進清澈的命生之櫃．

－122－

呵,你睜眼什麼!

我的孩子!旅行的旋風,

欲在蘆叢裏找寓所,

但他們全低着頭.

月兒淸照着,

呵,你比於前更嬌羞了.

遠城的遊戲,

何以有如之鬧聲,——

尖銳的狂呼——

人在夜裏痛哭麼?

明滅的燈兒,

在室內監人工作,

這等失望與悲慘之努力,

蜷伏他的思想,

無力對景傷情.

起來,看你的後方,

湖光反照在山麓,

長松與行雲交着頭,

——123——

如新婦之私語.

吁!這緊迫的秋,

催促着我們amour之盛筵!

去,如你不忘却義務,

我們終古是朋友.

Zoolog 園

失　敗

"Les multiples discordes
humaines trouveront
encore l'ample et sublime
unité."

G. D'Annunzio.

生物擠擁之鬧聲，
何其可怕!
我寧長臥亂石下，
蚯蚓催着睡眠，
蟻螞卸吾晚服.

每日澈照之日光，
趁時又復遠去，
誰能坐着凝想?
在 Contradictoire 之書裏，
我找到性慾之宗仰的失敗.

—125—

我之生如木架懸空，

遲疑地執其兩端，

怕暴發了一切嚇與詐．

但我可以不明白地循這崎嶇之道

麼？

－126－

閨　情

風與雨打着窗，正像黃梅天氣，
人說夫婿歸來了，奈猿聲又絆着行
舟．

枯瘦的黃葉像是半死，雪花把他
活活地埋葬，有誰抱這不平！

生怕別離，那憎晚烟疎柳的情緒，
流水無言，獨到江頭去，那解帶這一
點愁．

欲按琴微歌，又被鳥聲驚住：
"夢兒使人銷瘦，冷風專向單衫開
處．"

時 間 的 誘 惑……

時 間 的 誘 惑 強 盛 了
我 心 兒 趁 時 哭 泣
　　婉 囀，
　　淒 清，
　　單 調
如 傷 兵 之 嘆 惜．
聽，在 你 的 後 方，
笨 重 而 陰 啞 之 回 聲，
宮 線 之 諧 音？
太 斷 續 一 點 了．

何 謂 將 來，何 謂 反 悔！
　　鮮 血 之 心，
爲 遊 蕩 之 金 矢 所 傷 損；
　　空 泛
　　之 須 與 深 切 求，

—128—

嚙食軀殼之一部.

三月二三

清　晨

給梅州公謔

寒陰刺殺了黎明，

還靜聽其微細之殘喘，

亦無笙簫管絃與囘聲，

惟草地御了新裝欲去．

紅英不待秋來旣去，

更何有遺囑給殘冬！

他們與我相期，

明年菓園深處．

苦辛的鐘聲問答着，

哭泣在城下的人心裏：

臨終的氣息是溫愛之歌，

收歛了多麼傷心之淚．

鳥兒早遁逃去了，

他洗刷其殘破之音
在溪流深處,
收疊羽膀細訴離愁.

你在曲徑裏傷寒喪氣着,
找尋什沒?呵,我的靈,
倦怠之遊行者,
風雨之蕭瑟同是天涯.

"我們不怨懷這心的成型,
總願你髮兒散亂,
眼兒多淚惰愛
將如黃昏般流血.

"看,夜在故園裏牛死,
Hélas!破曉的深夢.
生活是兒戲,狂喜,
溫愛與強悍.

"你圓滑而裸露之兩臂，

欲尋求我的 regret，

奈你去了重來，

如蜂的遊戲蝶兒旋舞."

秋　興

我遨遊屋之四角，
但神馳物外，
任我遊戲！
全不算什麼：

去年之去年的冬天，
雪雨打着窗，
寒凍更了清和，
但心的跳蕩如舊：

"我不以玫瑰比美
因你是嬌麗，
取我的 douleurs 去
假如你是貧乏.

"聽,遠處之 Crigri,

—133—

是黎明的謳歌，

像我們休息時

無節奏之心琴．

"當秋去重來，

橡林變了裝服，

燕子拍羽到簾鈎，

你倦睡在我懷裏．

"我願在天國裏

得此同一之流泉，

清洗你如囀的歌聲，

增我思鄉之眼淚．"

—134—

Millendorf

與她不明白地斷絕了，
死去還是活着？
在古代的遼遠之鄉，
慕想着余的名字；
生動的黑溜之眼
因我的顧盼而倨傲.

與她不明白地斷絕了，
死去還是活着？
臂環之陰影裏，
我欲尋求仙女之行蹤，
一個鳥兒鳴聲之可怕，
野人暴怒之猙獰.

與她不明白地斷絕了，
死去還是活着？

—135—

散髮繞着頸際，

如臨水之安琪兒．

在我們之笑聲裏

有什麼頹敗之成份？

與她不明白地斷絕了，

死去還是活着？

願在永遠的世界裏

得到一自然界永遠之朋友．

帶去我蘆葦之花球，

告訴她廬墓之記號．

—136—

却
但

Spleens

"L'âge est venu sournois, furtif…"

H. de Réguier

且盡飲金樽，

勿使撐腸遠立，

然後倒睡片刻．

他們憎惡無能而鍾情的人

羣衆旣齊呼驅逐．

我們惟有殘道可由，

呵，隨吾徒之後，

你是歌女，舵夫？

我正要這等人作伴，

看！這是歷年成功的痕迹：

我能調 pot-au-feu 之湯，

或用黑木刻神像，

瓜舟，山鴨，前代之詩人．

—137—

這等我所崇拜的，

無暇去計較一切．

在艱苦之時間大道上，

我們欲探求真實，

——呵，多麼隱約——

或問來因去果．

現在來不及了，

且多麼疲乏，

無力喚春夏歸來

殘秋速去，

他們自已習慣了．

看，食殘骨的人掩口疾笑，

太輕忽了！

忘却離開的年歲，

巫者，醫匠，

各自賣一套手技,遠去！

—138—

定是一種沈病，

我們還遲疑麼？

囊兒在背，杖兒無須了。

如不慣黃沙的風味，

如不慣猛獸的呼喊，

如不慣長林的陰鬱

如不慣流泉洒淚弔人，

何關緊要！

且盡飲這金檳，

勿使撐腸遠立。

（二）

我可立刻離開這世界，

仇怨，愛，憎與失望，

悉在心頭等候着宣訴

我不說是夢幻的生命，

星光辜負在遼遠之地閃爍。

—139—

大自然之溫和，

伸手誘惑我們，

結果終將此輕轉.

是,異鄉之少女,英雄,

亦如我們般孤寂,

所以一切謳歌在黎明光裏；

我希望他們認識多少事物,

或完成“一勞永逸”的工作!

但海岸之衰哭的一個,

說是失了年少的指環,

在這大地,

將何處去尋見,我無力援助,

仇怨,愛,憎與失望,

悉在心房裏候着.

你祖先與親屬死了,

可惜,遠去了門閭.

—140—

留心點宇宙的諧音,

遠處的鬧聲,

給人多麼傷感,

是人與野獸的血戰,

全是一樣的.

如你帶點慈悲,

他們將反覆的回來.

我可以立刻離開這世界,

但一片思鄉的心呵.

—141—

L'impression

成法文詩數十首,呈之友人,悉被
嫌棄,獨愛此二者,欲藉作紀念,勉强存之

Quand s'en vont-elles fleurs du printemps et la
lune de l'automne? Je n'ose pas incliner la tête
pour penser à mille souvenirs passés quand le
vent souffle sur la porte et le ba'con.

La prairie est toujours verte comme l'autre-
fois, mais l homme est plus vieux que l'année
précédente.

Combien de chagrin avez-vous eu? peut-être
autant que les eaux du fleuve qui coulent vers
l'orient.

Quand l hiver vient, les paysages sont tout
changés, les hirondelles qui volent au loin n'ont
plus l intention de rester! Ma sieste est réveil-
lée mais ma tristesse doit encore.

--142 -

Printemps va

Quand je venais, le printemps fut tout jeune
et maintenant il est devenu vieux, moi, je suis
aussi maigre que le saule de l'étang.

Si tu peux le rencontrer tâche de demeurer
avec lui!

Les papillons voltigent encore dans mon jardin,
car ils ne sont pas partis avec lui.

Qui sais la trace du printemps? peut-être de-
mander au rossignol, mais quand il chant au
loin le vent souffle trop fort.

—143—

琴 聲

聽呀,她遊行在靜寂的落葉裏,遇了
小枝,逐稍微變了點腔調;用此比初
夏的蟬鳴,似乎還要悠揚些;比秋深
的急雨,似乎又緊張些.

不是嶺外的松濤,竹枝兒的呀呀,因
遊行的歌聲,全發在跳蕩的指頭兒.

一切諧合,全牽引我們的生命⋯⋯

沈重了是:海潮夜嘯,衝擅在石礁突
處,徵聞燈光閃處舟子齊歌.
輕緩了是:多言的牧童,蹰躅在膩濕
之草徑裏,陰雨噫噫在耳後.

她哭泣在天黑遠處,欲情斜陽作侶

—144—

伴,但人說她因喜極而來的.

聯合我們的靈兒,去阻她?
抑求伊使我們深睡.
她哭泣在你房裏了,吁,在我們的城
裏,撕去我們的輕紗,用全副美麗來
迎接她.

—145—

晚　鐘

"Un haussement d'épaule, et

ça veut dire: un sourd."

Tristan Corbrière

他在高處斷續氣息：

母親刺碎兒子的心，

遠走,遠走!

僅存下懷喪之跡,

說是: comme-il-faut.

久婚的夫婦,

抱着女孩在膝端:

呵, fille unique!

黑夜來時,

你是長大了,

該保存祖先的 " 衣鉢 "

—146—

找尋故事在眼淚裏，
來撐持這等歡樂:
生的接着死的脚踵，
"十叩柴扉九不開，"
在時代的名勝上，
殘墓襯點風光.

指示他們天空和戶牖。
傷殘的敗兵
戰馬之眼球耀如火燄，
曳着斷腿的人，
血兒變成灰黑，
呵過了這無勇之戈矛.

女孩和老母跳耀，
何以得此 gagne-pain.
看!在別的人羣裏，
一個傾着一個，

且冒險前進，

Bogauslawkaja, Archipenko!

如我們之靈,浮遊在地上,

你的安慰是一旅窩,

無心兒狂跳，Jésus 的兄弟,

故宮的主人

向斜陽取暖,

因人類努力在深溝裏.

囘頭過來,少女,

看看這等稀微之跡,

或明白自己的遺傳:

囚徒隨獵在長林裏,

獸皮掛着兩肩,

這不是同一造物麼?

呵 ici-bas，大神的憤怒!

—148—

如飢渴者之咒詛，

合攏來！鞋匠之 pipe，

嬌羞婦人之 nippe，

原是一樣結構．

Laméntablement, merveilleusement.

如你遇見這點，呵，詩人，

無恐怖其深瘦之頰，

飽食烟和酒，

還愛祈禱之記號，

任他遊戲，

這是於他有益的．

—149—

夜　雨

心悸，
煩悶，
愛，
一切
停頓了，
被兒
煨着喉，
無力
去作一"哼"。

打着窗：
微撥的聲.
夜的鼾睡?
瘦馬之鈴，
流水冰凍，
遠寺

—150—

鐘的顫音，

時而狂攻，

退讓，

徘徊．

心兒想：

fort bien，

收了去！

裝點些

給我們，

（美麗的）

輕盈

或流利．

呵，

黃色之情．

聽，

神的樂，

—151—

在　高　高　處——

遠　咧！

螺　殼　的　鬧　聲，

兔　的　撲　朔，

屠　夫　鋸　骨，

裂　帛，

夜　鳩　撥　翼。

呵，睡　罷！

我　的　心。

行　蹤

窮愁愚昧之個體，

寧相信時間的存在？

我失去愛的根據，

——全因夜的週年

冷冬敗葉的凄切——

太遲了！

我的知音已死，

何關傷感．

呵，我的心！

洒淚之姊妹，

空看你長裾之搖曳，

鐘的餘聲，

震怖到我的住所．

方法僅是如此了，

你該供獻諸大神．

但如你仍欲前倨後恭．

我製造多少狂亂之歷史

在你與我生命之歲月,

誰去等候意義的解釋?

吁保藏你的頭顱,

卽稍遲片刻

亦可明白是何種類.

槳兒停打,

霧影四合,

我們去,我們去, ohlala!

大道的迴旋處,

多少勾留在 " 疎林掛住斜暉 " 裏.

當着風,當着雨雪,

悲壯的一行,

什沒眷戀?

Mélancoliqus 之侶伴,

吹的是胡笳,

呵,我們將來安睡之樂,

—154—

他們訴盡幽怨,

然後北去.

無論如何,我不能離你片刻,

在大洋呼嘯裏,

取我僅有之情去,

然後我給你 ''Je t'aime''.

Ohlala!……

—155—

秋 聲

"'Cseillait sans cesse autour
du monde,
Et dans les vastes cieux··
·····························
···s allait perdre dans
l'ombre avec les temps,
l'espace, et la forme, et
le nombre."
Victor Hugo.

黑夜在城頭辭別，

　夢魂兒張耳細聽；

　疾風，急流在遠處痛哭，

　銷瘦之條無力追隨；

武士的狂呼，

　──敗北的失望之聲，──

　無休止地肅殺了曠野，

使獸挺亡羣；

垂死之夫的呻吟，
　欲脫離滅亡之疆土，
　償還生愛之花朵，
　再奮侈地揮霍生命之種子；

永遠之大道上，
　失路牧童的哀求，
　我衰敗之靈
　牽裳涉流；

如歌女喉音之悠揚，
　刀鎗雜弄之衝撞，
　勇士吹角在高原，
　呵悲壯之嘆息！

海潮澎湃，

—157—

欲從隙處崩頹這世界，

俄頃一瀉千里，

如少年意欲之伸展．

倦怠之流星，

欲向廣林之暗處休息，

一切無限界之淹沒！

安頓在此 Symphonie 裏．

如勞勛者唱萬國之歌，

一音融洽在無數之音，

歡樂挾滿平和，

是 harpə 奏詩人之 fatal．

然而是上帝的誘惑之言麼？

實則人在地殼之呼喊，

如生銹的地獄之門的呀呎

戰慄，怵惕，酸心！

—158—

我因他們阻了深睡，

　終疑問這森嚴的恐嚇．

　兄弟，未來之期望者，

　這是我們生命之宣傳了．

　　　　三月二十日．

—159—

O Sappho!

O Sappho!

何關緊要,

我們之生命物質或精神,

同向痛苦之火爐.

科學之果,

藝術之花,

僅天才者一個幻想.

當你牽裳微舞

在林木之斜陽裏,

俄而黑夜來了,

要一概生命之嬉遊者,

爲鴉羣流血.

我欲在深谷狂呼這遭遇,

但恐結成你的憎惡;

—160—

或曠野之百獸齊來,

成此離奇之死.

O Sappho!

我的詩句是空泛而虛弱,

但終久擺動其音響,

與山蛇虎豹同一哮咆,

來到你膝下.

呵,伸一左手作揖,

這是上帝的意思了.

當我休睡在華麗之大地,

胡笳的傺哀

迴旋在我腦海裏,

如金色之鐘,

黃銅之鐃,

游蕩在狂風呼嘯之下.

O Sappho!

—161—

示我可由之道，
避此陰險之煩囂．

當我離開這世界，
償還軀壳和靈給 néant divin 時，
認識的只是你．
在死骨之餘灰，
你當找尋得我生之
哀，怨，羨慕，衝突驅除！

—162—

X

我愛見生命一面,

但因時間遲延了.

我愛看

事的開始和終局,

但因時間遲延了.

—163—

A Henriette d'Ouche

我是往昔從你心頭

逃遁之囚徒,

在一個新清的月夜裏,——

微風倩你深睡——

我多麼傷感這魯莽,

如今竟不識歸路了。

當我是一個死的囚徒在腦海,

於此凋死之城干,

不再願作情愛之糾纏,

僅記着在淡赤之膚色裏

你攫去了多少 baisers!

毒世界的藥全給了你。

呵,你,我稍微認識的人,

在陰雨之湖畔,

我們神情如波光顛倒，
當一切撫慰來到，
我遂痛哭
四肢笨重而頹委．

我欲聽你一人之獨唱，
在無意識之低吟裏，
我將從多疑而戰慄之聲，
辨出意識的變遷，
如能找得一個"辜負"，
那就夠給我們了．

我終站立在遠處，
如不能再尋歸路，
縱老舊之印象擾到心
淺淡的秋林
循着樹陰徐步，
惟遊蜂使枝兒入睡．

—165—

微聞的牲口之叫喊,

引人到地獄之恐怖;

飛鳥悲哀生命迫促,

——何如野鶴的閑散——

惟你愛戀這狹窄之臥室,

欲作永無煩擾之夢.

故鄉山水大清平,

無力喚取歸來同住.

（十）

清晨之夜氣,

愈走愈遠了,

而我之臂膀適得其反,

留心點無使一個逃遁了.

柏林四月

—166—

如其究心的近况……

如其究心的近况,

我將答之以空谷;

如其問地何以荒凉,

我將示之以

頹敗的花,

大開之門.

我向生命 saluer!

在她重見之先.

寧繃住我兩耳,

以隔此破裂之音浪,

呵,你,

我夙夜跑着,尚未與你接近.

隨處皆是你,

但何曾存在.

— 167 —

到我荒涼之圍地來，

從牆隙可望見日光之輪，

Erbkönig 之姊妹，

完成其 Reihn. (見 Goethe 詩中)

呵！（我捫衣袋，）

鑰子失掉了，

且稍等片刻．

——我從隙處望見

荊棘滿徑，

死葉匍匐在溝裏，

鑰子失掉了，

且稍等片刻．

呵不！鑰子死了，

你將何以延她

到荒涼之地去．

—168—

白智

愛 之 神

生命在此刻憤怒而囂張，

無引他到蓮塘深處，

蘆花低首誘人同睡；

有崎嶇之徑可由，

捨去我們之盾與矛，

任他在夜裏平靜下去.

我們之四體在斜陽流血，

晚風更給人蕭索之情緒，

天兒低小,霞兒無力發亮，

像輕車女神末次離開世界，

我們之希望,羨慕,懊怨,追求

在老舊而馴伏之心底衝突

晚鐘响時,我們尋覓

記憶之恐怖與流落，

—169—

惜 欲 祈 禱 之 愛 神

不 是 Christ, hélas!

願 上 帝 給 我 們 金 色 之 稻 床,

完 此 酒 肉 之 奇 夢.

Qu'importe, 如 我 們 有 溫 暖 之 心,

在 陰 黑 之 日 發 生 憐 憫,

世 界 的 春 泉, 將 洗 滌 惡 魔 之 羞 怨,

飛 鳥 指 點 行 人 之 歸 路,

但 我 們 從 沒 施 捨,

愛 神 之 弓 將 射 向 我 們.

自　輓

我明白你眼中的詩意，
呵!年少之朋友，
當我死了，
無向人宣訴余多言的罪過．

——我愛沈實的鐘聲
亂流的眼淚，
當我們舉杯邀月，
微風戰慄冰冷之肌——

願我離開此地時，
田野景物毫不遷動:
村童環籬歌唱，
鸚鵡叫人梳頭．

最要留心遠方的孀婦，
她們隨處痛哭，

—171—

海潮掠江上舟去，
遺恨在狂笑之波濤．

人若談及我的名字，
只說這是一秘密，——
愛秋夢與美女之詩人，
倨傲裏帶點 méchant．

我嘗忘記所羨慕之疆土，
呵，這等曾留勾當之鄉，
Adieu！白屋，紅牆，蘆葦，曲徑，
我衣襟既飽着帆風．

Adieu！親愛的一摯，一朋友，
冬夜裏杯酒寒爐，
各自怕入年少之門限，
用頑笑掃除生活之皺眉．

—172—

我伴着你來，

指點過沿途之花草，

他們哭泣在春夏之荒園裏，

其於此地找點忠實與溫和。

—173—

晨間不定的想像

黎明浸過昏睡之巖穴，

嘲笑顛沛

這詩人之靈，

呵，捨去殘魂!

生命快發花了.

霧兒暫張，——

單調的朦朧，——

親密的煩悶

售賣我們之 remords 去，

全不是文藝了.

天空拖着半死之色，

夜遊之神將睡眠，

惡魔收拾我腦汁

如取乳之村婦.

—174—

誰構成這大錯！

在 turlututu 餘光裏，
蟲聲發着餘响，
拉上帝之手齊來，
指點埋葬之地，
給仙們管領權。

犬兒得了朝氣，
脚腿跳蕩在泥沙
人與自然
同遭此刼了，
他更何能逃遁。

Salut！橫江的野鶴，
蕭瑟之風還在江渚？
若到去年同玩處，
倩孤山寄我一點愁，

—175—

此地全形瘦死之囚．

歛了袍兒的襤褸，
佇看倉卒之變；
上帝給我一點勇氣
持戈矛之力．
Salut|橫江的野鶴．

—176—

重　逢

寄意 Erika

在慵慵的徵風裏，
手兒靠着窗櫺，
頭兒找尋我的臂膀，
燈的徵光銷融在室裏·

輕弱的意志，
搆結這種遊戲·
朋友的目光倩我私語，
奈我老舊之心琴沸騰着
如傷殘的野鶴之飛鳴·
吁！是你的聲之囘音·

如金鋼石堅强之 douleur,
遨遊着全世界，
欲一天趨進我心裏，

—177—

惟我們心靈之軍

能禦此攻打.

我心的微撥,

為你乳兒壓住,

我們多好冒險之脣,

不慣微寒的頰,

呵,在何地遊蕩.

因天與行雲太美麗,

我不敢深夢在睡眠.

生命欲哭泣在搖籃裏:

呵,你像死葉被風攔在瓦坑,

我像荇藻勾留在淺渚,

你望晴和之風再吹你向故枝,

我望雪鵝把全身吞在肚裏.

如金鋼石堅強之 douleur,

—178—

遨遊着全世界，

欲一天趨進我心裏，

惟我們心靈之軍

能禦此攻打！

—179—

亞 拉 伯 人

起來,我的兒子,
在點人在行廊裏走動,
——呵,我全部酸軟了;
無力見這等生客.

起來,我的兒子,
這或者是舅父,
——呵,我正結花珠在胸部,
但髮兒仍是散亂.

起來,我的兒子,
他幾次敲門了.
——呵,定是星夜的無賴,
我何能去迎接他.

起來,我的兒子,

——180——

他何以徵喚你的名兒.

一呵,是我的情愛.

再見,父親,海是美麗的.

愛 憎

'Soyons scandaleux sans
plus vous gêner.''
Paul Verlaine.

（一）

我願你孤立在斜陽裏，
望見遠海的變色，
用日的微光
抵抗夜色之侵伐．

將我心放在你臂裏，
使他稍得餘暖，
我的記憶全死在枯葉上，
口兒滿着山菓之餘核．

我們的心充滿無音之樂，
如空間輕氣的顫動．

—182—

無使情愛孤寂在黑暗，
任他進來如不速之客．

你看見麼，我的愛！
孤立而單調的銅柱，
關心瘦林落葉之聲息，
因野菊之墳田裏秋風喚人了．

如要生命裏建立情愛，
即持這金鑰開疑惑之門，
縱我折你陌上之條，
昨日之靜寂是在我們心裏．

呵，不，你將永不囘來，
驚我在深睡裏，
迨生命之鐘聲響了，
我心與四體已殭冷．

—183—

（二）

時間逃遁之跡

深印我們無光之額上，

但我的愛心永潛伏在你，

如平原上殘冬之聲響。

紅夏償篇金秋，

每季來問訊我空谷之流，

我保住的祖先之故宮既頹廢，

心頭的愛憎之情消磨大半。

無用躊躇，留你最後之足印

在我曲徑裏，

呵，往昔生長在我臂膀之你，

應在生命之空泛裏沈默。

夜兒深了，鐘兒停敲，

什麼一個陰黑籠罩我們；

我欲生活在睡夢裏，
奈他恐怕日光與煩囂．

蜘蛛在風前戰慄，
無力組世界的情愛之網了，
吁，知交多半死去，
無人穫此秋實．

呵婦人，無散髮在我庭院裏，
你收盡了死者之灰，
還吟輓歌在廣場之隅，
跳躍在玫瑰之叢．

我幾忘却這聽慣之音，
與往昔溫柔之氣息，
顧倩魔鬼助我魄力之長大，
準備回答你深夜之呼喚．

——185——

印 象

在不可數之年月裏,上帝給我們同
一之睡眠,愛慕,花香,月夜,秋色,從沒
方法把他們勾留在生命的永久裏,
如今橡林復由灰變紫,我感到戰慄
在心頭.

世紀的衰病,攻打我金髮之頭,如秋
深的霧氣,欲使黑夜更朦朧.

究無多少榮光,粉飾,生平情愛,贏得
電掣時光的糾纏.呵我的印象,女神
之侍者,我在遠處望見你,沿途徘徊
如喪家之牲口.

究無致命的哀怨,抱憾在可怖之空
間裏,—— 我心頭愛慕之位置既充

滿食客之座．

斯人憔悴了，呵，馬媚，給我一個安慰，

我再無眼淚流向君，取我一切所有

去，但無接近我深紫之脣．

—187—

長 林

當金秋深睡了,
你在蔚藍天下吟哦.
我折了蓓琴微聽,
呵, —— Nymphes 臨水齊歌

枝條忍耐地撫慰我,
惜又獨自一人來了,
你大形陰險而嚴重,
我無力尋找已失之印象,
在蒼苦與山蕨裏.
葉底生野之黃鸝一聲叫,
離亂了我情愛生長之種子.

—183—

流　水

"欲憑江水訴離愁,江
已東流那肯更西流."

反照留戀着兩岸,
不能說臨去的意思.

廣大之清新裏,
（見泥沙之底,
荇藻貼近淺渚,）
我覺外體長大了,
同時有情緒擾亂之因.

呵,多年的朋輩,
何不簡明地告訴我,
使余無味地追隨
故國三千里,
你捲帶我一切去,

－189－

生活的工具，

全頓挫了．

你平淡的微波，

如女人賞心的遊戲，

輕風欲問你的行程，

沙鷗欲倩你同睡．

故國三千里，

你捲帶我一切去．

心

如此跳蕩的心，
須什麼去供養！
香花,野宴與睡眠,
愛爾利（Aurélie）之公主？

他自春來便不馴伏，
滿腔欲滴之詩意，
擾亂了每夜的深夢，
但筆兒顫動着，
無力去寫流鶯的諧音.

如此跳蕩的心，
須什麼去供養！
笙管,胡笳與 harpe,
埃及之 Cléopâtre,
希臘之 Hélène？

我欲唱樂府之餘哀，

奈山谷之回聲震着耳；

我不繼續前路，怕踐踏了牧童的淺

草，願長與跳蕩之心哀哭這命運．

初 春

> "愁裏見春來,又
> 空愁催春去。"

我探首園門

看見青春初御的新衣,

大嬌羞了,

笑臉伏在掌心裏。

我們頹臥着

大爲送迎忙亂了,

寄語新到的蜂蝶

無帶往昔之哀吟來。

你眼兒凝視,

恨波光增了飛鳥倒影?

遠處的畫閣裏,

有少婦怕春在人間長住。

—193—

留心我們情愛之領域裏，

勿隨季候得了哀怨；

取我一切倨傲去，

調和你 mélodie 之平庸.

聯我們多慣摸索之手

過這崎嶇之曲徑，

若我給你一個呼喚，

生命是倒病的了。

—194—

"Musicien de rues"之歌

"我的遊蕩

不爲情愛之報復

在這離奇之大地裏，

因我的歌情是哀痛，

心兒是酸軟，

全部酸軟．

"在老舊的情歌裏，

你們慣聽了纏綿之 refrains，

這是愛的悲戚，

亦他們的弱點：

Salut 在月夜裏，

Adieu 在夜月裏．

"盡情歡愛，生命是不喜勾留的！

樽兒滿了旋空，

—195—

心頭的火饞
照女人之面色使紅，
　　踏青春淺草之微笑，
　　溫愛之微笑.

"遠處的友朋，
亦如我們之墮落，
寄懷在滄波裏，
目光注視日的起伏，
　　捨了生命，
　　獲得生命.

"不幸,賞賜,失望榮譽
告訴什麼給我們?
Epanouie　在性慾上，
內心慚愧了大半.
　　宏富是毫無，
　　美滿是毫無.

—196—

“你自己是忠實,

——用心的跳,去留的情緒.——

隨喚隨聽如孩童,

待什麼人回答?

　　找什麼 tendresse?

　　婦人的 tendresse!

“在 décadent 裏無頹唐自己,

——其實我們何嘗有為

在這黃銅世界裏,——

無崩壞光明與黑暗之柱.

　　Seigneur 將助你,

　　惡魔將助你.

“我生無幸福

如無情愛之心,

有生之期望,

全非自然法所許.

無呻吟在夢裏，

低唱在夢裏.

"女人！何以逃遁着而哭泣，

呵如黑夜之女人，

嬌艷的心，

畏縮在晨光裏，

懷悔在壹切，

讚賞到壹切.

"男人！何以蜷屈着，

匕首當前,殺敵呵！

忘了古代英雄麽？

帶我們的 douleurs 去遠走

胡天之塞外，

我隨你到塞外.

"姑如鳥兒般尋覓

—198—

菓園之鮮明,

倦了,摺羽低唱,

不得棲枝麼?

　　Seigneur 將助你,

　　惡魔將助你。"

—199—

Chanson

如當 Amour 是遠遊，
我們就嗤笑了．
Amour 是青鳥之音，
生活是清流．

Hélas, 異鄉的思慕！
幾根私利的花朵，
爲孤傲之指頭撕碎，
僅留這 Contrebasse 之餘哀．

Adieu, 明智之眼與心，
Adieu, 牧童之斜陽，
紫霧之孤島裏
野人謳歌等候着．

"清晨的多麼哀痛，

—200—

縱能悲鳴在落日裏!

他將再尋得

Amour 是青鳥之音生活是清流."

Elégie

"Alas, I cannot stay in the
house, and home hast be-
come no home to me, for
the eternel strannge. calls,
he is going along the
road.'

R. Tagore.

快選一安頓之墳藏,

我將殭死在情愛裏,

垂楊之陰遮掩這不幸.

二十春的年少遠去!

如花兒經一次凋謝,

存留着枝兒的枯瘦.

疑惑和失望之朋輩,

點滴地乾枯我心血,

如受傷鴿兒之折翅.

—202—

我的 Jeunesse 隨獸羣歸去，

我將頹死在情愛裏，

我是古代遼遠之 Amant.

我靈魂受了文藝的攻打，

蹣跚狂呼而喘氣，

呵,快選一安頓之墳藏.

Harmonie

夜潮與殘月聚會.

潮:

認識我麼?

行近一點!

於是美的夢想完成.

月:這是我,

哀哭太久呵!

給你稀薄的乳,

遠處之橡林

被他們攻打了,

快使其遠退.

時 之 表 現

（一）

風與雨在海洋裏，
野鹿死在我心裏．
看，秋夢展翼去了，
空存這委靡之魂．

（二）

我追尋拋棄之意欲，
我傷感變色之櫻脣．
呵，陰黑之草地裏，
明月收拾我們之沈靜．

（三）

在愛情之故宮，
我們之noces倒病了，
取殘棄之短燭來，

—205—

黃昏太彌漫田野.

（四）

我此刻需要什麼？

如畏陽光曝死！

去，園門已開了柵，

遊蜂穿翼鞋來了.

（五）

我等候夢兒醒來，

我等覺兒安睡，

你眼淚在我瞳裏，

逐無力觀察往昔.

（六）

你傍着雪兒思春，

我在衰草裏聽鳴蟬，

我們的生命太枯萎，

—206—

如牲口踐踏之稻田.

(七)

我唱無韻的民歌，

但我心兒打着拍，

寄你的哀怨在我胸膛來，

將得到療治的方法.

(八)

在陰處的睡蓮，

不明白日月的光耀，

打槳到橫塘去，

教他認識人間一點愛.

(九)

我們之 souvenirs，

在荒郊尋覓歸路，

—207—

斷 句

我是自己之仇讐，

用假設去防禦蒙昧之侵伐

將何時了此無味之勾當，

到江干與清流細語．

呵，遼遠之港灣，

我羨慕你落日之黃金，

野鷗與微波遊戲，

礁石向急潮狂呼．

＊

莫說生命是盛筵，

慄率裏勇氣之末日來了，

向誰告訴這愚笨的需求，

死神單獨地伺候着．

莫說生命是無涯之火宮，

—208—

荊棘裏找到半開之玫瑰，

向草長春風微笑，

榮光如失路之犬的忠實．

何須痛哭，

撐持到盡頭去！

縱不穫收自己之耕作，

但在每個空間裏益確實了．

＊

寄興在高山流水，

但荒園之殘蕨，

慣悲吟之蘆葦裏，

你可找到我的哀怨．

我夢想曠野的長天，

羣鴉啼風——如薛亞蘿之嗚咽，

行雲變成低小，

遠樹欲攔遊人．

＊209＊

我夢想遠海之舟子，

隨落霞興嘆，

汨羅之亂流，

不見蛟龍見螃蟹．

＊

夜來之潮聲的咽啾，

不是問你傷感麼？

願其沫邊的反照，

囘映到我灰色之瞳裏．

新到人間的春，

不究我的疏懶麼？

無力折這媚人之春花，

指頭已因刺兒傷損了．

＊

呵長夏興金秋，

你帶來的賞賜全顏委了，

冷冬已叩我的門，

—210—

我將懊喪地迎此生客。

我將看見你,長林!

在灰藍之天下,

裸體臨風戰慄,

但無流盡心頭之淚呵.

我不是你的知音了,

我將包裹這旣破之心

遠寄給需要此心的人,

但你的美麗終永深印着.

＊

你爲一切罪過攻打了,

呵詩人,你大遊玩在無味裏,

在每晚的殘陽下,

我總聽到你琴的繼續.

不如看萬衆生死的雜沓,

—211—

溫愛遜讓了囂橫；

肥沃的故國裏，

長埋英雄之骨．

＊

"春花秋月何時了"，

迨殘紅蓋盡溪流，

我當再臨風踞坐，

看空間無意識之遷勸．

我慣行之甬道的夜裏，

鳴虫閒足音而靜寂，

吁，遠海之殘凍，

阻我的思想之浪遊．

前來，狂歌的女人，

我心滿着黑影與神秘，

輕忽玫瑰的開謝，

—212—

橡木之舟載遊子西去．

＊

山谷的深處，
——貼近英雄之墓，——
死靈蹲踞着，
滿披金色之秋葉．

傷心一度江流，
菓屬在枝頭搖曳？
過去半世紀的勾留，
關遠心靈，關遠手足！

隨風到江頭去！
看隨柳欲挽江水東流，
低小的行雲，
伴着浮鴉痛哭．

當生命之劇告終，

——213——

火焰亦低細了，

普照之溫柔，傷感，

頓成灰死．

但後起之脣仍笑着．

笑那神秘之希求，

呵，你顯像在生命裏，

牢印在心曲裏．

＊

我的心又再如瀨空明之槳棹，

飽受水底的清涼，

卽我們之生亦止像山木，

在黑夜裏顯白色之條．

我傷痕竟如此之深，

呵，Dante, Boileau, Leconte de Lisle,

深願人類之 Amour,

包裹這血之餘腥．

—214—

"錦 纏 道"

春從牆頭窺視月季之嬉笑,
　　山茶無處躲此羞怯.
我的心如晨雞般起立,
　　遠聽臨風之faune的呻吟.

告訴他我眉兒低小,
　　欲把新愁將酒澆去,
晚風來時,一世紀的事實,一
　　又擾亂我舞蹈之裳.

頰兒消瘦,指頭欲折無力,
　　曲肱入睡,黃色之膚變灰暗,
足兒怕濕春園路,
　　長髮結了旋鬆.

輕盈之舉止背人長嘆,

—215—

怕給來人多少疑惑，

但夜兒笨重地來了，

我時蹋足聽流泉的宣訴．

却
但

遊 Wannsce

> "看盡鵝黃嫩柳，
> 都是江南舊識."

杖兒打着沙泥，
又被湖光誘惑來了，
每欲對長松細語，
奈枯瘦的蒼苔環視着.

遠山遮斷飛帆，
他們來了重去，
鮮艷的日光，
對着林木之陰森長嘆.

一切空間全靜止了，
惟微聞遠處的啁啾，
如月夜孀婦的痛哭，
"我愛"之喪氣的哀求.

—217—

呌,慣聽了這等

烏合之衆的呻吟,

是山谷的氣息,生物的戰慄?

幸他不躦進我心頭.

蘆葦全抱頭消瘦,

浪兒促他們根兒微動,

似說:在這湖光山色裏,

你們是主人翁了.

' 浮光耀金,靜影沈碧,"

惟少詩人的歌詠,

欲向這不動之清流,

何處是我愛的扁舟.

我科頭倒臥,

松濤咏着睡眠之歌,

日光括去肌膚的油膩,

—218—

呵，我再得孩童之嬌養了．

只怕去了不重來，
向遠峯叮嚀數囘：
若騎兵問我蹤跡，
說與白衣女郎同病崖端．

—219—

小 病

吁,古往今來的歌人,

你用什麼使我如舊跳躍.

被窩欲捲我入葬,

心兒向靜寂問最後的勾留.

呵,你遊行的牧人,

把手兒撤去,

遂給我這不康健.

花已含苞,我正枯死,

切勿將他們來比喻.

我祇求晚間的徵風,

帶到你長嘆的氣息,

或從此明白你心頭之炎火.

燈已盡熄了,

我希求這夜裏無所遇見,

秩序地再看日之出兮，

但望犬神給我足力，

向你逃遁處追隨，

——即江南瘴癘地.——

—221—

贈 Br···女士

當他心兒因工作之疲乏

而流血了，

將停止期望之氣息，

到東方看長髮之漁人.

告訴他海嘯之崖端，

有古代英雄遺跡，

坐看歸帆激浪，

行雲遊蕩着——大的吞食小的——

呵,騷父, Chateaubriand,

人類有何熱情，

自然幾曾扶人入睡.

但他等候着，

等候詩句的完成,——

女兒的春夢,——

到遠離這世界的時候，

人類將明白，

—222—

他如何傷感之情愛.

他將留殘篇之黑影在你掌心裏,

負之遠走,

如哀哭之兒童,

但他無勇氣的心,

與其所有全部之歷史,

及眼角之惝癡,心頭之渦愛,

惟你能保持了,

看,這不是歌德之故鄉?

牧童扶杖而歌,

山泉泛出白霧如海嘯之浮沫.

給詩人多少興感!

夜的長大,黎明的光輝,

恐怖了他的心與情愛之空間.

但你遠了,

遠隔了這等唧啾.

—223—

暹 我 行 道

遠處的風喚起橡林之呻吟，

枯涸之泉滴的單調．

但此地日光,嘻笑着在平原，

如老婦談說遠地的風光，

低聲帶着羨慕．

我妒忌香花長林了，

更怕新月依池塘深睡．

呵,老舊之鍾情，

你欲使我們困頓流淚，

不縱盛夏從蘆葦中歸來，

飽帶稻草之香，

但我們仍是疾步着，

拂過清晨之霧,午後之斜暉．

白馬帶我們深夜逃遁，

——呵,黑鴉之羣你無味地呼噪了,——

直到有星光之巖石下,

可望見遠海的呼嘯,

吁,你髮兒散亂,

額上滿着露珠.

我殺了臨岐的壞人,

——真理之從犯!——

血兒濺滿草徑,

用誰的名義呵,

——225——

Belle journée

吁,童年之喜躍的呼喚,

既為遠海之歸帆忘却,

更何有萬谷齊鳴之回音

辜負了幾點臨岐之淚.

呵 Muses! 我妒忌你頭上的花枝,

他帶不可測之夜前來,

別的幽怨頻起在我心頭,

一千萬的愛憎之矛向我放打.

我牢記着你深睡的小路,

倔傲之暗影點染着人,

奈我撕破了長袍之帶,

髮兒消滅了疑惑之黑影.

廣杳之林裏,憑死葉坐着,

因曲徑之石子在顯沛之脚下强硬，

屛弱的新月在你的前頭，

我的煩悶之靈欲挾之遨遊了．

呵，我不行向你的橫塘，

抑彎折細枝之垂柳，

你是大自然的儒夫，

倉卒捨我遠去．

我向我的未來申說：

"呵，無味之狂呼者，

你將以什麼實我空洞之手，

引那一個遊客到我之門限來．"

—227—

Sagesse

"送君沓自崖而返
君自此遠矣"

莊子

我笨重之外衣臨風微蕩

似欲脫這身軀遠去,

嗯,故鄉的河流,菓樹,

忘却我在天空之下.

　　時間一刻一刻的產生,

　　撫育着新花與殘葉,

　　我以是亦建立起來.

我努力着去遠痛苦,罪惡,

僅使幸福前來,

如我刻懸崖之石,

字句之紋隱約地實現?

　　我等候着,

袖手而立且乱心,

探首向靜寂處細聽.

在每個金色之葉裏,

我吸收到自然無禮之氣息,

縱 Centare 與 Nymphe 頻來,

此地於我是荒涼的.

　　但流水的微笑,

　　載去我哀怨的心,

　　挾粉蝶齊舞.

生命之力的迅速的顫動,

如臨別之揮手,

僅可望見在天之遠處,

如祈禱之寡婦.

　　吁,我革履笨厚,

　　脚兒弱小無力,

　　何處是情愛之Sagesse.

—229—

當未首途在黑夜之光裏，

且聽唱了旋停之歌聲，

新秋欲使菓屬離去枝條，

蘆花笑拂人之征塵.

　　Hélas! 日光將美麗，

　　如黎明不帶着

　　輕霧而來.

地殼成熟處所發之餘香，

燻醉我的夢想!

我將向深谷懸流之滂湃處，

細訴我的失望.

　　細膩之手，

　　脫離了擁抱，

　　僅刻此殘石.

牛岡之後卽海灣，

小道直引着到天際，

—230—

垂柳擁着水鴨深睡，

有誰肯渡這橫塘．

　自然的笑，

　人的去行，

　全着急了我．

赤足地囘來，

園地正需要一點 mélancolie，

何以遠此閒懶之吻，

頹敗之臂膊？

　或曲徑之落葉

　蓋滿你肩際，

　所以銷散這情愛．

白屋全預備了靜寂，

任燈兒燃燒殘脂，

　吁，稀罕之遊行者，

　你全不擾亂我心之清晨．

　　　　　—231—

但兩心的冷暖，

如季候般換了，

我們能再造麼？

四月柏林

Mensch!

一雙革履，

便足走盡世界的湖山，

一枝蘆管，

便足吹醒橡林之昏睡．

但我遊玩在原野，

看山蛇虎豹的奔竄，

——因我若談到情愛之頹敗

流泉將停止嗚咽．

微風將私語在枝頭．——

聽你足音走去，

呵，我停止片刻，

追隨你的正喘著氣！

囘顧麼？

不及伸手了．

—233—

Souvenir

娓娜說：Comme la vie est
bizarre, je me demande si je
ne rêve pas!

我在荒地裏反覆躑躅，

踐蹈了死貓殘骨之餘塊而心酸.

吁，潦水阻着前路，

何野雀竟如意地洗浴.

束裝遠去，我的心，

何須無味地跳蕩.

關什麼警告？

寧捨去一切毫不思索，

但與彼人拉手狂叫這不幸.

—234—

自　跋

余每輕異何以數年來關於中國古
代詩人之作品,既無人過問,一意向
外探輯,一唱百和,以為文學革命後,
他們是荒唐極了的,但從無人着實
批評過,其實東西作家隨處有同一
之思想,氣息,眼光和取材,稍為留意,
便不敢否認,余于他們的根本處,都
不敢有所輕重,惟每欲把兩家所有,
試為構通,或卽調和之意.

　　　　　　　　　　　五月柏林

—235—

食客與凶年

李金髮著

一九二七年五月初版

實價六角

北新書局印行